在统筹推进新冠肺炎疫情防控和经济社会发展工作部署会议上的讲话

（2020年2月23日）

习 近 平

人 民 出 版 社

图书在版编目(CIP)数据

在统筹推进新冠肺炎疫情防控和经济社会发展工作部署会议上的讲话/习近平 著. —北京:人民出版社,2020.2
ISBN 978-7-01-021894-6

Ⅰ.①在…　Ⅱ.①习…　Ⅲ.①习近平-讲话-学习参考资料②日冕形病毒-病毒病-肺炎-疫情管理-中国-学习参考资料③经济工作-中国-学习参考资料④社会工作-中国-学习参考资料　Ⅳ.①D2-0②R563.1③F12④D632

中国版本图书馆 CIP 数据核字(2020)第 028741 号

(RMC-ZJDXI-085-20200223)

在统筹推进新冠肺炎疫情防控和
经济社会发展工作部署会议上的讲话

ZAI TONGCHOU TUIJIN XINGUAN FEIYAN YIQING FANGKONG HE
JINGJI SHEHUI FAZHAN GONGZUO BUSHU HUIYI SHANG DE JIANGHUA

(2020 年 2 月 23 日)

习　近　平

人民出版社 出版发行
(100706　北京市东城区隆福寺街 99 号)

北京新华印刷有限公司印刷　新华书店经销

2020 年 2 月第 1 版　2020 年 2 月北京第 1 次印刷
开本:880 毫米×1230 毫米 1/32　印张:1
字数:12 千字

ISBN 978-7-01-021894-6　定价:3.00 元

邮购地址 100706　北京市东城区隆福寺街 99 号
人民东方图书销售中心　电话 (010)65250042　65289539

在统筹推进新冠肺炎疫情防控和经济社会发展工作部署会议上的讲话

（2020 年 2 月 23 日）

习　近　平

同志们：

今天，我们召开统筹推进新冠肺炎疫情防控和经济社会发展工作部署会议，主要是分析新冠肺炎疫情防控形势，部署下一步疫情防控和经济社会发展工作。下面，我讲几点意见。

一、关于前一段疫情防控工作

新冠肺炎疫情发生后，党中央高度重视，迅速作出部署，全面加强对疫情防控的集中统一领导。1月7日，我主持召开中央政治局常委会会议时，就对做好疫情防控工作提出了要求。1月20日，我专门就疫情防控工作作出指示，要求各级党委和政府及有关部门把人民群众生命安全和身体健康放在第一位，采取切实有效措施，坚决遏制疫情蔓延势头。大年初一，我主持召开中央政治局常委会会议，对疫情防控工作进行再研究、再部署、再动员，决定成立中央应对疫情工作领导小组，派出中央指导组，要求国务院联防联控机制充分发挥协调作用。之后，我又先后主持召开3次中央政治局常委会会议、1次中央政治局会议，专题研究疫情防控工作和复工复产工作。2月10日，我到北京市调研指导疫情防控工作，视频连线湖北和武汉抗疫前线，听取前方中央指导组、湖北指挥部工作汇报。我还主持召开中央全面依法治国委员会、中央网络安全和信息化委员会、中央全面深化改革委员会、中央外事工作委员会等会议，从不同角度对做好疫情防控工作提出要求。党中央印发《关于加强党的领导、为打赢疫情防控阻击战提供坚强政治保证的通知》。我时刻关注着疫情防控工作，每天都作出口头指示和批示。中央应对疫情工作领导小组及时研究部署工作，中央指导组积极开展工作，国务院联防联控机制加强统筹协调，各级党委和政府积极作为，同时间赛跑，与病魔较量，形成了抗击病魔的强大合力。

“沧海横流，方显英雄本色。”在这场严峻斗争中，各级党组织和广大党员、干部冲锋在前、顽强拼搏，充分发挥了战斗堡垒作用和先锋模范作用。广大医务工作者义无反顾、日夜奋战，展现了救死扶伤、医者仁心的崇高精神。人民解放军指战员闻令而动、敢打硬仗，展现了人民子弟兵忠于党、忠于人民的政治品格。广大人民群众众志成城、守望相助，特别是武汉人民和湖北人民识大体顾大局、自觉配合疫情防控工作，展现了坚忍不拔的顽强斗志。广大公安民警、疾控工作人员、社区工作人员等坚守岗位、日夜值守，广大新闻工作者不畏艰险、深入一线，广大志愿者等真诚奉献、不辞辛劳,为疫情防控作出了重大贡献。卫生健康、发展改革、工信商务、外交外联、交通运输、农业农村、应急管理、财政金融、文化旅游、科技教育、市场监管、社保医保、资源环境、国资林草等部门和纪检监察、组织、宣传、统战、政法等战线各司其职,人大、政协以及各人民团体等主动担责,采取有力措施支持抗击疫情斗争。社会各界和港澳台同胞、海外侨胞纷纷捐款捐物,展现了同舟共济的深厚情怀。

近一段时间,我们主要做了以下工作。

一是及时制定疫情防控战略策略。打胜仗首先要有正确战略策略。党中央审时度势、综合研判,及时提出坚定信心、同舟共济、科学防治、精准施策的总要求,明确了坚决遏制疫情蔓延势头、坚决打赢疫情防控阻击战的总目标。我们依法将新冠肺炎纳入乙类传染病、采取甲类措施严格管理。我们把坚持全国一盘棋、统筹各方面力量支持疫情防控作为重要保障,把控制传染源、切断传播途径作为关键着力点,加强对疫情防控工作的统一领导、统一指挥、统一行动，打响了疫情防控的人民战争、总体战、阻击战。我们提出早发现、早报告、早隔离、早治疗的防控要求和集中患者、集中专家、集中资源、集中救治的救治要求，把提高收治率和治愈率、降低感染率和病亡率作为突出任务来抓。我们立足地区特点和疫情形势因应施策，把武汉和湖北作为全国主战场，对其他省份加强分类指导，严守“四道防线”，步步推进、层层深入，形成了全面动员、全面部署、全面加强疫情防控的战略格局。

二是加强对武汉和湖北防疫的统一指挥。1月22日，党中央果断要求湖北省对人员外流实施全面严格管控。作出这一决策，需要巨大政治勇气，但该出手时必须出手，否则当断不断、反受其乱。党中央把武汉和湖北的疫情防控作为重中之重，提出内防扩散、外防输出的明确要求，强调要采取更加严格、更有针对性、更加管用有效的措施，把疫情扩散势头遏制住。中央指导组认真贯彻党中央决策部署，加强对湖北和武汉防控工作的指导和督查。我们举全国之力予以支援，组织29个省区市和新疆生产建设兵团、军队等调派330多支医疗队、41600多名医护人员驰援，迅速开设火神山、雷神山等集中收治医院和方舱医院，千方百计增加床位供给，优先保障武汉和湖北需要的医用物资，并组织19个省份对口支援。针对湖北和武汉前期防控工作存在的严重问题，党中央及时提出整改要求，并对湖北省委和武汉市委领导班子作出调整充实。

三是统筹抓好其他地区防控工作。各省区市相继启动重大突发公共卫生事件一级响应，构建联防联控、群防群控防控体系。疫情发生时恰逢春节返乡高峰，为从全国层面控制住蔓延态势，我们向社会发出减少人员流动、协同抗击疫情的号召，并及时延长春节假期，为可能出现的春运人潮踩了“急刹车”。同时，对北京、浙江、广东等人口流动大省大市及湖北周边省市加大指导和支持力度，要求采取针对性措施做到外防输入、内防扩散。针对节后人员大范围流动可能带来的疫情扩散风险，我们提前部署延迟开学、灵活复工、错峰出行，在健康监测、人员管理等方面采取了严格措施。

四是加强医用物资和生活必需品应急保供。打疫情防控阻击战，实际上也是打后勤保障战。我们采取积极措施，支持医用防护服、口罩等疫情防控急需医疗物资的生产企业迅速复工达产、多种方式扩大产能和增加产量，对重要物资实行国家统一调度，建立交通运输“绿色通道”，多措并举保障重点地区医用物资和生活物资供应。我们抓好农副产品生产、流通、供应组织工作，做好煤电油气等供应，保障了全国生活必需品市场总体稳定。我们全力推进医药研发和临床应用，取得阶段性成果。

五是切实维护社会稳定。中外历史上，大疫大灾往往导致社会失序，社会失序又使抗疫抗灾雪上加霜。我们推动做好社会面安全稳定工作，妥善处理疫情防控中可能出现的各类问题，维护医疗秩序、市场秩序等，严厉打击涉疫违法犯罪，加强群众心理疏导和干预。疫情防控前期，为快速阻断疫情传播蔓延，采取严格的交通管控措施是必要的，但在执行过程中一些地方出现了过头行为，我们及时督促各地予以纠正，现在交通干线秩序基本正常。

六是加强宣传教育和舆论引导。我们加大宣传舆论工作力度，统筹网上网下、国内国际、大事小事，营造强信心、暖人心、聚民心的环境氛围。我们规范和完善信息发布机制，深入宣传党中央决策部署，充分报道各地区各部门联防联控的措施成效，生动讲述防疫抗疫一线的感人事迹。我们广泛普及疫情防控知识，引导人民群众正确理性看待疫情，增强自我防范意识和防护能力。我们及时回应社会关切特别是群众的集中诉求，不回避矛盾，积极推动问题解决。我们改进和加强对外宣传，运用多种形式在国际舆论场及时发声，讲好中国抗疫故事，及时揭露一些别有用心的人污蔑抹黑、造谣生事的言行，为疫情防控营造了良好舆论氛围。

七是积极争取国际社会支持。这次疫情发生后，我们怎么应对、应对效果如何，国际社会高度关注。中国人民在疫情防控中展现的中国力量、中国精神、中国效率，展现的负责任大国形象，得到国际社会高度赞誉。170多个国家领导人和40多个国际和地区组织负责人以电话、信函、声明等方式对我国表示慰问和支持。国际社会普遍认为，中国在全面有力防控疫情的同时，积极主动同世卫组织和国际社会开展合作和信息交流，迅速分享部分毒株全基因组序列，研制成功快速检测试剂盒，努力防止疫情在世界蔓延，不仅是在对中国人民生命安全和身体健康负责，也是在为世界公共卫生事业作贡献。国际社会普遍认为中国采取的坚决有力的防控措施，展现的出色的领导能力、应对能力、组织动员能力、贯彻执行能力，是其他国家做不到的，为世界防疫树立了典范。

这次新冠肺炎疫情，是新中国成立以来在我国发生的传播速度最快、感染范围最广、防控难度最大的一次重大突发公共卫生事件。对我们来说，这是一次危机，也是一次大考。经过艰苦努力，目前疫情防控形势积极向好的态势正在拓展。实践证明，党中央对疫情形势的判断是准确的，各项工作部署是及时的，采取的举措是有力有效的。防控工作取得的成效，再次彰显了中国共产党领导和中国特色社会主义制度的显著优势。

在这里，我代表党中央，向全国广大党员、干部、群众，特别是湖北和武汉广大党员、干部、群众，致以诚挚的问候！向奋战在疫情防控第一线的广大医务工作者、人民解放军指战员、各条战线的同志们，表示崇高的敬意！向港澳台同胞、海外侨胞，表示衷心的感谢！向为我国疫情防控工作提供各种支持的国家、国际组织、友好人士，表示诚挚的谢意！向在抗击疫情中不幸罹难的同胞、牺牲的医务人员，表示深切的悼念！向正在同病魔作斗争的患者及其家属、因公殉职人员家属、病亡者家属，表示诚挚的慰问！

二、关于当前加强疫情防控重点工作

在充分肯定成绩的同时，我们必须清醒看到，当前疫情形势依然严峻复杂，防控正处在最吃劲的关键阶段。这个时候，必须高度警惕麻痹思想、厌战情绪、侥幸心理、松劲心态，否则将带来严重后果，甚至前功尽弃。各级党委和政府要坚定必胜信念，咬紧牙关，继续毫不放松抓紧抓实抓细各项防控工作，不获全胜决不轻言成功。

当前，要抓好以下几项重点工作。

第一，坚决打好湖北保卫战、武汉保卫战。武汉胜则湖北胜，湖北胜则全国胜。要紧紧扭住城乡社区防控和患者救治两个关键，切实提高收治率和治愈率、降低感染率和病亡率。要坚决遏制疫情扩散输出，大幅度充实基层特别是社区力量，加大流行病学调查力度，织密织牢社区防控网，实行严格的网格化管理，坚持关口前移、源头把控，开展拉网式筛查甄别，对确诊患者应收尽收，对疑似患者应检尽检，对密切接触者应隔尽隔，落实

“四早”要求，找到管好每一个风险环节，决不能留下任何死角和空白。要毫不放松外防输出，继续实行严格的离汉、离鄂通道管控措施。要继续加大救治力度，多渠道扩增收治床位，尽早实施医疗干预，尽可能让患者在轻症阶段得以治愈。要加大重症患者救治力度，加快推广行之有效的诊疗方案，加强中西医结合，疗效明显的药物、先进管用的仪器设备都要优先用于救治重症患者。要发挥好高水平医疗团队作用，把好钢用在刀刃上，在重症救治、病例指导、方案优化等方面更好发挥他们的作用。要加强力量薄弱地区防控，统筹做好各市州防疫工作，积极协调对口支援省份，重点加大对确诊病例较多市州和医疗力量薄弱市州的支持力度。要加强对县乡防疫工作的指导，增援县域定点医院，防止出现“带病下乡”和“带病回城”的风险。要依法依规做好疫情防控，坚持运用法治思维和法治方式开展工作。

第二，全力做好北京疫情防控工作。首都安全稳定直接关系党和国家工作大局。要坚决抓好外防输入、内防扩散两大环节，尽最大可能切断传染源，尽最大可能控制疫情波及范围。要守住入京通道第一道防线，做好健康监测和人员管理，加强京津冀地区联防联控，其他省份也要加大支持力度。要加强重点防控部位人员的物资保障，国务院联防联控机制要及时调配，在京有关部门和单位要给予支持。

第三，科学调配医疗力量和重要物资。“用药如用兵，用医如用将。”医务人员是战胜疫情的中坚力量，务必高度重视对他们的保护、关心、爱护。目前，已经有超过2000名医务人员确诊感染了新冠肺炎，有的医务人员以身殉职，我心情十分沉重。前几天，我就此特地强调：“一定要保证在湖北（武汉）医疗队伍安全有序、统筹协调、有力有效、及时迅速开展工作。指挥调度、后勤保障要科学到位。对医务人员的舒缓压力、生活保障、必要休整、精神鼓励务必及时加强落实。”要关心关爱一线医务人员，落实防护物资、生活物资保障和防护措施，统筹安排轮休，加强心理疏导，落实工资待遇、临时性工作补助、卫生防疫津贴待遇，完善激励机制，帮助他们解除后顾之忧，使他们始终保持昂扬斗志、旺盛精力，持续健康投入抗疫斗争。要切实加强防止医院感染工作，做好医务人员科学防护和培训，对已被感染的医务人员全部免费治疗，尽最大努力减少牺牲。对参加一线战斗的医务人员，要尽快出台关心关爱的政策举措，及时安排免费体检，将来要增加带薪休假时间，并将抗疫表现列入职称评定指标之中。当前，湖北和武汉一些重要医疗救治设备和物资还处于紧平衡状态，要扩大国内生产，尽快满足相关医疗需求。要密切监测市场供需动态，积极组织蔬菜和畜禽等生产，增加肉蛋奶等供给，畅通运输通道和物流配送，着重解决好生活必需品供应的“最后一公里”问题。

第四，加快科技研发攻关。作为一种新发传染病，我们对新冠肺炎的认识还比较初步。要综合多学科力量开展科研攻关，加强传染源、传播致病机理等理论研究，为复工复产复课等制定更有针对性和操作性的防控指南。要加大药品和疫苗研发力度，同临床、防控实践相结合，注重调动科研院所、高校、企业等的积极性，在确保安全性和有效性的基础上推广有效的临床应用经验，力争早日取得突破。要加强病例分析研究，及时总结推广有效诊疗方案。要充分运用大数据分析等方法支撑疫情防控工作。

第五，扩大国际和地区合作。公共卫生安全是人类面临的共同挑战，需要各国携手应对。要继续同世卫组织保持良好沟通，同有关国家分享防疫经验，加强抗病毒药物及疫苗研发国际合作，向其他出现疫情扩散的国家和地区提供力所能及的援助，体现负责任大国担当。

第六，提高新闻舆论工作有效性。要继续做好党中央重大决策部署的宣传解读，深入报道各地统筹推进疫情防控的好经验好做法。要完善疫情信息发布，依法做到公开、透明、及时、准确。要广泛宣传一线医务工作者、人民解放军指战员、公安干警、基层干部、志愿者等的感人事迹，在全社会激发正能量、弘扬真善美，推动社会主义精神文明建设。要适应公众获取信息渠道的变化，加快提升主流媒体网上传播能力。要主动回应社会关切，对善意的批评、意见、建议认真听取，对借机恶意攻击的坚决依法制止。

第七，切实维护社会稳定。疫情防控期间采取一些严格的管控措施是完全必要的。到了现在这个阶段，除湖北和武汉等疫情防控任务重的地区外，要注意把握好度，尽量采取对群众生产生活影响小、带来不便少的措施。要完善矛盾纠纷源头预防、排查预警、多元化解机制，及时化解疫情防控中出现的苗头性、趋势性问题。要主动做好心理疏导，引导全社会关心关爱确诊人员、隔离人员和病人家属。要依法严惩扰乱医疗秩序、防疫秩序、市场秩序、社会秩序等违法犯罪行为。

三、关于统筹推进疫情防控和经济社会发展工作

经济社会是一个动态循环系统，不能长时间

停摆。在确保疫情防控到位的前提下，推动非疫情防控重点地区企事业单位复工复产，恢复生产生活秩序，关系到为疫情防控提供有力物质保障，关系到民生保障和社会稳定，关系到实现全年经济社会发展目标任务，关系到全面建成小康社会和完成“十三五”规划，关系到我国对外开放和世界经济稳定。

新冠肺炎疫情不可避免会对经济社会造成较大冲击。越是在这个时候，越要用全面、辩证、长远的眼光看待我国发展，越要增强信心、坚定信心。综合起来看，我国经济长期向好的基本面没有改变，疫情的冲击是短期的、总体上是可控的，只要我们变压力为动力、善于化危为机，有序恢复生产生活秩序，强化“六稳”举措，加大政策调节力度，把我国发展的巨大潜力和强大动能充分释放出来，就能够实现今年经济社会发展目标任务。

第一，落实分区分级精准复工复产。新冠肺炎疫情发生后，如何在较短时间内整合力量、全力抗击疫情，这是很大的挑战；在疫情形势趋缓后，如何统筹好疫情防控和复工复产，这也是很大的挑战。既不能对不同地区采取“一刀切”的做法、阻碍经济社会秩序恢复，又不能不当放松防控、导致前功尽弃。我在2月12日的中央政治局常委会会议上提出，非疫情防控重点地区要分区分级制定差异化防控策略，就是出于这样的考虑。现在，全国有1396个县（区）无确诊病例（占46%），还有一些县（区）累计病例很少、基本没有新增病例，这些低风险地区要尽快将防控策略调整到外防输入上来，全面恢复生产生活秩序。中风险地区要依据防控形势有序复工复产。高风险地区要继续集中精力抓好疫情防控工作。随着疫情防控形势持续向好，符合条件的省份要适时下调响应级别并实行动态调整。

第二，加大宏观政策调节力度。宏观政策重在逆周期调节，节奏和力度要能够对冲疫情影响，防止经济运行滑出合理区间，防止短期冲击演变成趋势性变化。积极的财政政策要更加积极有为，已经出台的财政贴息、大规模降费、缓缴税款等政策要尽快落实到企业。要继续研究出台阶段性、有针对性的减税降费政策,加大对一些行业复工复产的支持力度,帮助中小微企业渡过难关。要集中使用部分中央部门存量资金,统筹用于疫情防控、保障重点支出。一些地方财政受疫情影响较大,要加大转移支付力度,确保基层保工资、保运转、保基本民生。要扩大地方政府专项债券发行规模,优化预算内投资结构。稳健的货币政策要更加注重灵活适度,把支持实体经济恢复发展放到更加突出的位置,用好已有金融支持政策,适时出台新的政策措施。要针对企业复工复产面临的债务偿还、资金周转和扩大融资等迫切问题,创新完善金融支持方式,为防疫重点地区单列信贷规模,为受疫情影响较大的行业、民营和小微企业提供专项信贷额度。要调整完善企业还款付息安排,加大贷款展期、续贷力度,适当减免小微企业贷款利息,防止企业资金链断裂。

第三,全面强化稳就业举措。要实施好就业优先政策,根据就业形势变化调整政策力度,减负、稳岗、扩就业并举，抓好社保费阶段性减免、失业保险稳岗返还、就业补贴等政策落地，针对部分企业缺工严重、稳岗压力大和重点群体就业难等突出矛盾，因地因企因人分类帮扶，提高政策精准性。要鼓励低风险地区的农民工尽快返岗复工，采取“点对点、一站式”直达运输服务。要支持多渠道灵活就业，解决个体工商户尽快恢复营业问题。要加快推动线上登记失业和申领失业保险金，确保失业人员应发尽发、应保尽保。要注重高校毕业生就业工作，统筹做好毕业、招聘、考录等相关工作，让他们顺利毕业、尽早就业。

第四，坚决完成脱贫攻坚任务。今年脱贫攻坚要全面收官，原本就有不少硬仗要打，现在还要努力克服疫情的影响，必须再加把劲，狠抓攻坚工作落实。劳务输出地和输入地要精准对接，帮助贫困劳动力有序返岗，支持扶贫龙头企业、扶贫车间尽快复工，吸纳当地就业。要组织好产销对接，抓紧解决好贫困地区农畜产品卖难问题。要加快建立健全防止返贫机制，对因疫情或其他原因返贫致贫的，要及时落实帮扶措施，确保基本生活不受影响。

第五，推动企业复工复产。要落实分区分级精准防控策略，打通人流、物流堵点，放开货运物流限制，确保员工回得来、原料供得上、产品出得去。产业链环环相扣，一个环节阻滞，上下游企业都无法运转。区域之间要加强上下游产销对接，推动产业链各环节协同复工复产。要积极扩大国内有效需求，加快在建和新开工项目建设进度，加强用工、用地、资金等要素保障，用好中央预算内投资、专项债券资金和政策性金融，优化投向结构。疫情对产业发展既是挑战也是机遇。一些传统行业受冲击较大，而智能制造、无人配送、在线消费、医疗健康等新兴产业展现出强大成长潜力。要以此为契机，改造提升传统产业，培育壮大新兴产业。

第六，不失时机抓好春季农业生产。现在，春耕备耕已从南到北陆续展开。要抓紧解决影响春耕备耕的突出问题，组织好农资生产、流通、供应，适时开展春播。即使是疫情最重的湖北和疫情较重的省份，也要根据实际情况组织农民开展农业生产。农业生产场所大多在田间野外，一些不合理限制要取消，确保农业生产不误农时。要持续加强非洲猪瘟、高致病性禽流感等重大动物疫病防控，促进畜牧水产养殖业全面发展。

第七，切实保障基本民生。疫情直接影响居民收入，再叠加物价上涨因素，部分群众基本生活面临的困难可能增多。要落实“米袋子”省长责任制和“菜篮子”市长负责制，保障主副食品供应。要密切关注疫情对市场供求的影响，做好居民生活必需品保供调度，防止物价过快上涨。要保持疫情期间基本民生服务不断档，鼓励同群众生活密切相关的服务业有序恢复营业。要强化对困难群众的兜底保障，有条件的地方可以适当提高价格临时补贴标准。对患者特别是有亲人罹难的家庭要重点照顾，安排好基本生活。对因疫情在家隔离的孤寡老人、困难儿童、重病重残人员等群体，要加强走访探视和必要帮助，防止发生冲击社会道德底线的事件。要统筹做好其他疾病患者医疗救治工作,做到急重症患者救治有保障、慢性病患者用药有供应、一般患者就医有渠道。

第八,稳住外贸外资基本盘。要保障外贸产业链、供应链畅通运转,稳定国际市场份额。要用足用好出口退税、出口信用保险等合规的外贸政策工具,扩大出口信贷投放,适度放宽承保和理赔条件。要简化通关手续,降低港口、检验检疫等环节收费,推出更多外汇便利化业务。要鼓励各地促增量、稳存量并举,抓好重大外资项目落地。要扩大金融等服务业对外开放。要继续优化营商环境,做好招商、安商、稳商工作,增强外商长期投资经营的信心。

四、关于加强党对统筹推进疫情防控和经济社会发展工作的领导

疾风知劲草,板荡识诚臣。能不能打好、打赢这场疫情防控的人民战争、总体战、阻击战,是对各级党组织和党员、干部的重大考验。各级党组

织要认真履行领导责任，特别是抓落实的职责，把党中央各项决策部署抓实抓细抓落地，让党旗在疫情防控斗争第一线高高飘扬。

干部政治上过不过得硬，就要看关键时刻靠不靠得住。总体看，在抗疫斗争中我们的干部队伍是好的，是经受住考验的，但也有少数干部表现不佳甚至很差。有的不敢担当、不愿负责，畏首畏尾，什么都等上面部署，不推就不动；有的疲疲沓沓、拖拖拉拉，情况弄不清、工作没思路；有的敷衍应付、作风飘浮，工作抓而不细、抓而不实，仍然在搞形式主义、官僚主义；有的百般推脱、左躲右闪，甚至临阵脱逃。这些都是对党对人民极端不负责任的，决不能容忍！必须坚决纠正！

关键时刻冲得上去、危难关头豁得出来，才是真正的共产党人。在统筹推进疫情防控和经济社会发展工作中，各级干部特别是领导干部必须增强必胜之心，拿出战胜一切敌人而不被任何敌人所屈服的大无畏革命气魄，勇当先锋，敢打头阵，用行动展现共产党人政治本色；必须增强责任之心，把初心落在行动上、把使命担在肩膀上，在其位谋其政，在其职尽其责，主动担当、积极作为；必须增强仁爱之心，当好人民群众贴心人，及时解决群众所急所忧所思所盼；必须增强谨慎之心，对风险因素要有底线思维，对解决问题要一抓到底，一时一刻不放松，一丝一毫不马虎，直至取得最后胜利。

各级党组织要在斗争一线考察识别干部，对表现突出的干部要大力褒奖、大胆使用，对不担当不作为、失职渎职的要严肃问责，对紧要关头当“逃兵”的要就地免职。要及时宣传和表彰表现突出的党员、干部和先进集体。对在斗争一线表现突出的入党积极分子，可火线发展入党。对在斗争一线表现突出的先进集体和个人，党中央、国务院、中央军委，各级党委和政府，各地区各部门各方面，要根据情况分层分级予以表彰和嘉奖。

基层是联防联控、群防群治的第一线，也是复工复产的第一线，是确保各项措施落实到位的关键所在。基层党组织和基层干部要广泛动员群众、组织群众、凝聚群众，全面落实联防联控措施，构筑群防群治的严密防线。要开展耐心细致的思想工作，教育引导广大群众服从大局、遵守疫情防控各项规定，自觉维护社会秩序。一段时间以来，广大基层干部和深入基层的各级干部特别是湖北、武汉等疫情严重地区的干部群众连续作战，十分辛苦，各级党委和政府要多关心关爱他们，及时帮助他们解决遇到的实际困难和问题，从上级党政机关、企事业单位等抽调更多干部支援基层。要防止各条线多头重复向基层派任务、要表格，坚决纠正形式主义、官僚主义做法，让广大基层干部把更多精力投入到抓好疫情防控和复工复产一线工作之中。

打赢疫情防控这场人民战争，必须紧紧依靠人民群众。社区是疫情联防联控、群防群控的关键防线，要推动防控资源和力量下沉，把社区这道防线守严守牢。工会、共青团、妇联等人民团体要组织动员所联系群众积极投身疫情防控。对社会力量参与疫情防控，要加强组织引导、畅通渠道、鼓励支持。要发挥行业协会、商会等社会组织的作用，指导和帮助企业等会员单位科学精准防疫、有序复工复产。要发挥社会工作的专业优势，支持广大社工、义工和志愿者开展心理疏导、情绪支持、保障支持等服务。慈善组织、红十字会要高效运转，增强透明度，主动接受监督，让每一份爱心善意都及时得到落实。

在这次应对疫情中，暴露出我国在重大疫情防控体制机制、公共卫生应急管理体系等方面存在的明显短板，要总结经验、吸取教训，深入研究如何强化公共卫生法治保障、改革完善疾病预防控制体系、改革完善重大疫情防控救治体系、健全重大疾病医疗保险和救助制度、健全统一的应急物资保障体系等重大问题，抓紧补短板、堵漏洞、强弱项，提高应对突发重大公共卫生事件的能力和水平。要坚持预防为主的卫生与健康工作方针，大力开展爱国卫生运动，加强公共卫生队伍建设和基层防控能力建设，推动医防结合，真正把问题解决在萌芽之时、成灾之前。

最后，我给今天参加会议的同志们提3点要求。一要狠抓工作落实。今年我国发展面临的风险挑战上升，再叠加这次疫情影响，做好经济社会发展工作难度更大。要以“咬定青山不放松”的韧劲、“不破楼兰终不还”的拼劲，沉下心来、扑下身子，坚持问题导向，分层级理清影响落实的问题，一个一个去解决，把工作落到实处。二要增强忧患意识。这个问题我反复强调，2018年1月我在学习贯彻党的十九大精神专题研讨班开班式上列举了8个方面16个具体风险，其中提到“像非典那样的重大传染性疾病，也要时刻保持警惕、严密防范”。要时刻保持如履薄冰的谨慎、见叶知秋的敏锐，既要高度警惕和防范自己所负责领域内的重大风险，也要密切关注全局性重大风险，第一时间提出意见和建议。三要提高工作本领。这次疫情防控工作中，一些领导干部的治理能力和专业能力明显跟不上，必须引起高度重视。我们要增强综合能力和驾驭能力，学习掌握自己分管领域的专业知识，使自己成为内行领导。

同志们！中华民族历史上经历过很多磨难，但从来没有被压垮过，而是愈挫愈勇，不断在磨难中成长、从磨难中奋起。我相信，有党中央的坚强领导，有中国特色社会主义制度的显著优势，有强大的动员能力和雄厚的综合实力，有全党全军全国各族人民的团结奋斗，我们一定能够战胜这场疫情，也一定能够保持我国经济社会良好发展势头，实现决胜全面建成小康社会、决战脱贫攻坚的目标任务。